유아 연산의 기준

칸토의 연산

20까지의 수에서
더하기1·빼기1 1, 2, 10

"취학 전 우리 아이가 해야 할 수학은?"

아이를 키우는 부모님이라면 하나같이 우리 아이가 수학을 좋아하고 잘했으면 하는 바람일 것입니다. 수학에 대한 안 좋은 기억이 있으신 부모님들이라면 더더욱 걱정과 조바심 속에 초등학교 가기 훨씬 전부터 아이에게 여러 문제집을 풀게 하며 수학에 많은 시간을 사용합니다. 지금까지 아이가 푼 문제집을 쌓아 올리며 부모님 스스로가 뿌듯해 하기도 합니다.

그런데 아이가 수학을 잘하기 위해 초등학교 입학 전에 해야 할 가장 중요한 것은 무엇일까요?

수학에 관심을 갖고 수학에 재미를 느끼는 것입니다.

그러나 현실은 그렇지 않습니다. 아이들은 방대한 양의 반복된 문제를 풀며 가장 중요한 목표인 재미로부터 멀찌감치 떨어져 출발하게 됩니다. 첫 단추가 잘못 끼워지니 그 이후의 단추들도 제대로 끼워지기 어렵습니다. 아이가 처음 숫자를 보고 읽고 수를 셀 때의 희망찬 모습에서 어느덧 수 앞에만 서면 작아지는 아이의 모습으로 부모님의 새로운 걱정은 시작됩니다. 이를 바로잡으려 부모님께서 다시 힘을 내보려 하지만 너무 오래된 수학이 낯설고 멀게만 느껴집니다.

「칸토의 연산」은 아이에게는 아이의 시선에 맞게 문제의 형태와 양을 재미있게 구성하여 즐거운 시간이 될 수 있게 하였고, 부모님께는 아이를 가까이서 직접 지도할 수 있는 학습 가이드(칸토 쌤)를 제공하여 최고의 선생님이 될 수 있게 하였습니다.

수학을 잘하기 위해서는 한 문제를 끝까지 풀기 위한 노력과 끈기도 필요합니다. 하지만 수학을 잘하기 위해 지금 부모님께서 해야 할 일은 아이에게 수학에 대한 **좋은 첫인상**을 심어주는 것입니다. 문제 푸는 것을 어려워한다면 과감히 다음 기회로 넘기고 기다려주세요. 첫 만남이 나쁘지 않았던 우리 아이는 다시금 수학을 찾고 수학과 더 깊은 관계로 발전해 나갈 수 있을 거예요.

"초등 입학 전 연산 딱 4가지만 알고 가요."

취학 전 우리 아이가 반드시 학습해야 할 연산 주제 4가지를 제시합니다.

수 세기(1~50)

[수 세기 방법 4가지]
① 앞으로 세기 1, 2, 3, 4, 5, ……
② 거꾸로 세기 10, 9, 8, 7, ……
③ 이어 세기 5, 6, 7, 8, 9, ……
④ 묶어 세기 2, 4, 6, 8, 10, ……
　　(뛰어 세기)

수를 세는 과정에는 덧셈과 뺄셈의 원리가 숨어 있어요.
실생활 소재(음식, 물건, 계단)와 수 세기 모형(주사위,
수직선, 계란판)을 이용하여 반복하여 연습해 주세요.
아이의 수·연산 감각을 발달시킬 수 있는 출발점입니다.

수 계열(1~50)

[50까지의 수 배열표]

1큰수 →									
1	2	3	4	5	6	7	8	9	10
11	12	13	14	15	16	17	18	19	20
21	22	23	24	25	26	27	28	29	30
31	32	33	34	35	36	37	38	39	40
41	42	43	44	45	46	47	48	49	50

(10 큰 수 ↓ 왼쪽, 10 작은 수 ↑ 오른쪽, 1 작은 수 →)

50까지의 수 배열표를 관찰하며 수의 구성과 각 수들 간의
관계를 파악하고 50까지의 수를 익혀요. 수 배열표를 머릿속
으로 그릴 수 있어야 해요.

[모으기]

2 ⌄ 3

[가르기]

7
2 ⌄ □

9까지의 수를 모으고 가르는 활동은 덧셈, 뺄셈
의 기초이며 핵심 원리예요.
손가락뿐만 아니라 생활 속 다양한 구체물을
활용하여 반복적으로 연습해 보세요.

[동적 상황의 덧셈·뺄셈]

$2 + 3 = \boxed{}$　　$7 - 2 = \boxed{}$

덧셈, 뺄셈은 동적인 상황(첨가, 제거)과 정적인
상황(합병, 비교) 2가지가 있어요. 이것을
잘 이해하면 덧셈·뺄셈 문장제 문제를
해결하는 데 큰 도움이 돼요.

모으기·가르기(1~9)

덧셈·뺄셈(0~9)

단계별 구성

유아/3단계

칸토의 연산 시리즈

(9단계, 총 36권)

- 연산의 원리부터 재미있는 퍼즐형 문제까지 다루는 기본 난이도의 연산 교재
- 나선형 반복 학습과 확장 커리큘럼
- [칸토의 연산] ➡ [응용 연산]으로 이어지는 기본·심화 연산 학습 설계
- 단계별 4권, 9단계 총 36권 구성
- 한 단계 4개월 완성
- 학년별 교과서 진도와 맞춤 병행

초등/6단계

이 책의 칸토
구성과 특징

- 하루 2쪽, 매주 5일씩 4주 동안 완성하는 연산 프로그램이에요.
- 연령별 아이의 학습 눈높이와 학습 체력에 맞게 쉬운 난이도와 하루 10분 정도의 학습 분량으로 구성하였어요.
- 선생님과 같은 실력으로 아이를 지도할 수 있게 「칸토 쌤」 코너에 알찬 학습 가이드를 수록하였어요.

1 학습 안내 · 무엇을 공부할까요?

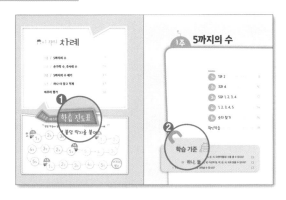

❶ 붙임 딱지를 붙여 학습 진도를 체크해요.

❷ 이번 주에 꼭 알아야 할 학습 기준을 체크해요.
   공부 전에 간단히 살펴보고, 한 주 공부가 끝나면 반드시 확인해 보세요.

2 일일 학습 · 매주 5일씩 4주 동안 공부해요.

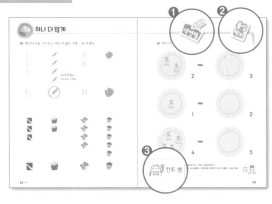

❶ 색연필을 사용하는 활동이에요.

❷ 붙임 딱지를 붙이는 활동이에요.

❸ 연산의 개념, 원리, 활용뿐만 아니라 아이의 학습 심리 상태를 파악할 수 있는 학습 가이드를 꼭 참고하세요.

3 확인 학습 · 이번주 배운 내용을 잘 알고 있나요?

4 마무리 평가 · 4주 동안 배운 내용을 잘 알고 있나요?

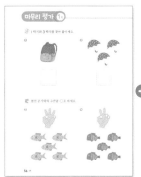

이 책의 차례

스스로 체크하는 학습 진도표

" 일일 학습이 끝나면 붙임 딱지를 붙여 학습 진도를 표시해 보세요. "

출발

1주
1일 2일 3일 4일 5일

2주
1일 2일

4일 3일 2일

3주
1일 5일 4일 3일

5일

4주
1일 2일 3일 4일 5일

마무리 평가

1주 더하기 1, 2, 10

학습 기준

- 2씩 커지는 수를 알 수 있나요? ☐

- 어떤 수보다 2 큰 수를 알고 더하기 2를 계산할 수 있나요? ☐

- 어떤 수보다 1, 2, 10 큰 수를 알고 더하기 1, 2, 10을 계산할 수 있나요? ☐

2씩 커지게

둘씩 많아집니다. 빈칸에 알맞은 수를 쓰세요.

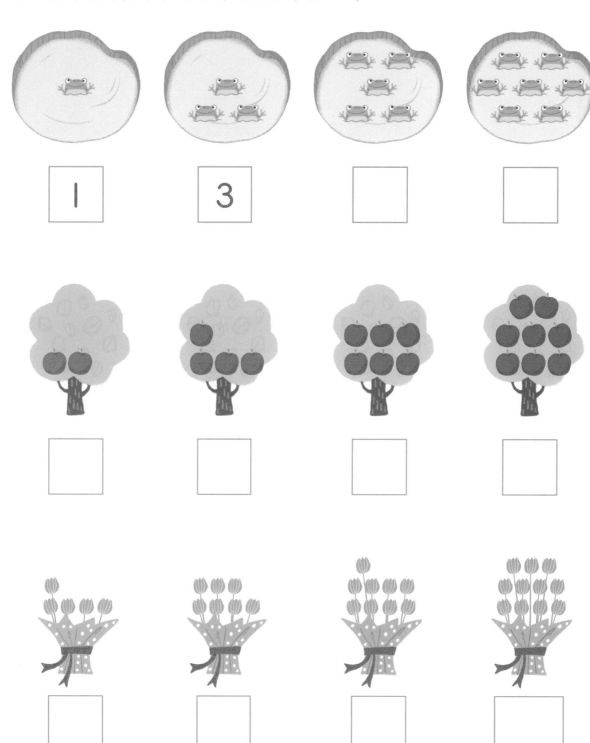

| 1 | 3 | | |

🐤 2씩 커지도록 빈칸에 알맞은 수를 쓰세요.

1	2	3	4	5	6	7	8	9	10
11	12	13	14	15	16	17	18	19	20

2 ···· 4 ···· ☐

소리 내어 수를 말해 봐.
둘~넷~여섯~여덟~열!

1 ···· 3 ···· ☐   6 ···· ☐ ···· 10

5 ···· 7 ···· ☐ ···· ☐ ···· 13

☐ ···· 8 ···· ☐ ···· 12 ···· ☐ ···· 16

🤖 칸토 쌤   둘 많은 수와 2 큰 수는 더하기 2를 계산하는데 필요한 기초 개념이에요. 둘씩 많아지고 2씩 커지는 양과 수를 살펴보며 더하기 2 계산의 기초를 다집니다.

2 큰 수
↓
더하기 2

○를 2개 더 색칠하고, 2 더한 수를 쓰세요.

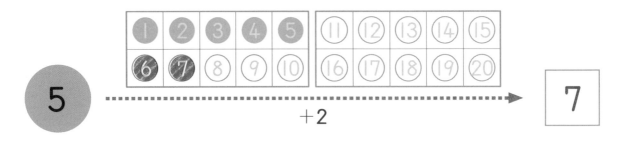

5 — +2 → **7**

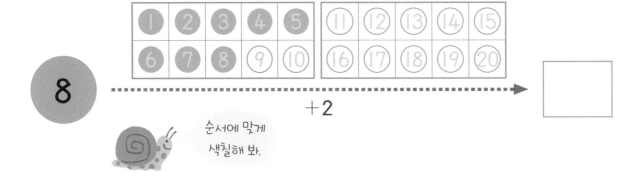

8 — +2 →

순서에 맞게
색칠해 봐.

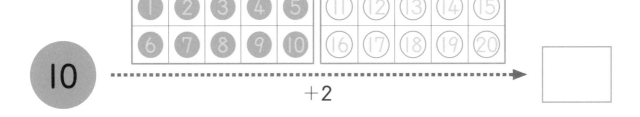

10 — +2 →

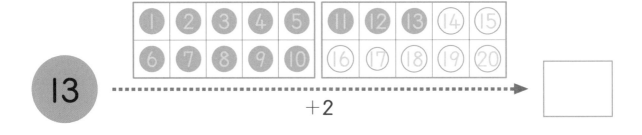

13 — +2 →

둘 더 많게 ◯를 그리고, **2** 큰 수를 쓰세요.

3일 더하기 2

그림을 보고 더하기 2를 계산하세요.

$$3 + 2 = \boxed{5}$$

3 더하기 2는
5야.

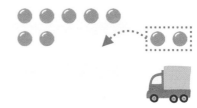

$$7 + 2 = \boxed{}$$

$$9 + 2 = \boxed{}$$

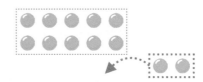

$$10 + 2 = \boxed{}$$

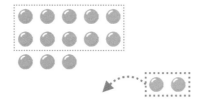

$$13 + 2 = \boxed{}$$

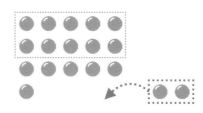

$$16 + 2 = \boxed{}$$

🐙 2번 뛰어 센 수를 쓰고, 더하기 2를 계산하세요.

| 2 | 3 | 4 | 5 | 6 |

$$4 + 2 = \boxed{}$$

4 더하기 2는
6과 같아.

| I | 2 | 3 | 4 | |

$$3 + 2 = \boxed{}$$

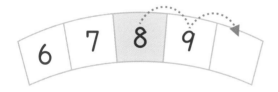

| 6 | 7 | 8 | 9 | |

$$8 + 2 = \boxed{}$$

| 4 | 5 | 6 | 7 | |

$$6 + 2 = \boxed{}$$

| 9 | 10 | II | 12 | |

$$II + 2 = \boxed{}$$

| 16 | 17 | 18 | 19 | |

$$18 + 2 = \boxed{}$$

🤖 칸토 쌤 | 20까지의 수에서 더하기 2를 공부해요. 더하기 1과 같이 점 수판과 수의 순서 2가지 방법을 이용하여 계산해요. 더하기 1보다 한 번 더 생각하는 과정을 거치기 때문에 아이에게 충분한 연습이 필요해요.

더하기 1
더하기 2

1 큰 수, 2 큰 수, 10 큰 수

그림을 보고 1 큰 수, 2 큰 수, 10 큰 수를 구하세요.

$12 \xrightarrow{\text{1 큰 수}} \boxed{}$

$12 + 1 = \boxed{}$

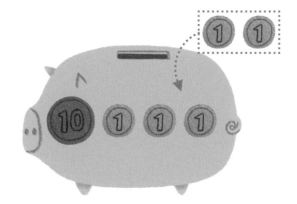

$13 \xrightarrow{\text{2 큰 수}} \boxed{}$

$13 + 2 = \boxed{}$

$5 \xrightarrow{\text{10 큰 수}} \boxed{}$

$5 + 10 = \boxed{}$

$8 \xrightarrow{\text{10 큰 수}} \boxed{}$

$8 + 10 = \boxed{}$

주어진 수에 ○표 하고 l 큰 수, 2 큰 수, l0 큰 수에 색칠하세요.

l 큰수: 〰〰〰   2 큰수: 〰〰〰   l0 큰수: 〰〰〰

3

1	2	③	4	5	6	7	8	9	10
11	12	13	14	15	16	17	18	19	20

6

1	2	3	4	5	6	7	8	9	10
11	12	13	14	15	16	17	18	19	20

8

1	2	3	4	5	6	7	8	9	10
11	12	13	14	15	16	17	18	19	20

🐛 알맞은 식을 찾아 색칠하세요.

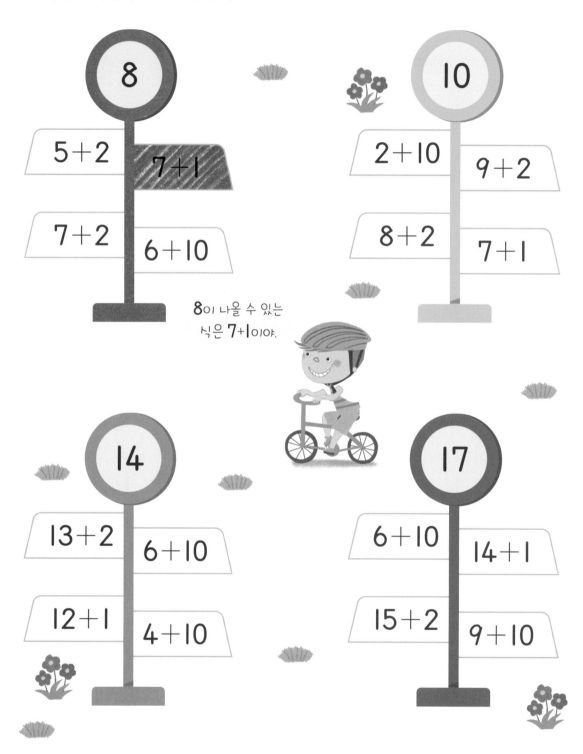

8

5+2

7+1

7+2

6+10

10

2+10

9+2

8+2

7+1

8이 나올 수 있는
식은 **7+1**이야.

14

13+2

6+10

12+1

4+10

17

6+10

14+1

15+2

9+10

덧셈을 하세요.

6 + 2 = ☐   5 + 10 = ☐

13 + 1 = ☐   16 + 2 = ☐

1 + 10 = ☐   18 + 1 = ☐

```
    1 2          1 5          1 0
  +   2        +   1        + 1 0
  ─────        ─────        ─────
  ☐            ☐            ☐
```

확인학습

 2씩 커지도록 빈칸에 알맞은 수를 쓰세요.

9 ⋯ ☐ ⋯ 13 ⋯ 15 ⋯ ☐

주어진 수에 ◯표 하고 1 큰 수, 2 큰 수, 10 큰 수를 찾아 색칠하세요.

1 큰수: /////   2 큰수: /////   10 큰수: /////

7

1	2	3	4	5	6	7	8	9	10
11	12	13	14	15	16	17	18	19	20

 덧셈을 하세요.

$5 + 2 = $ ☐ $3 + 10 = $ ☐

$17 + 1 = $ ☐ $10 + 10 = $ ☐

➡ 7쪽으로 돌아가 1주 차 학습 기준을 달성했는지 체크해 보세요.

2주 빼기 1, 2, 10

학습 기준

- 2씩 작아지는 수를 알 수 있나요?   ☐

- 어떤 수보다 2 작은 수를 알고 빼기 2를 계산할 수 있나요?   ☐

- 어떤 수보다 1, 2, 10 작은 수를 알고 빼기 1, 2, 10을 계산할 수 있나요?   ☐

2씩 작아지게

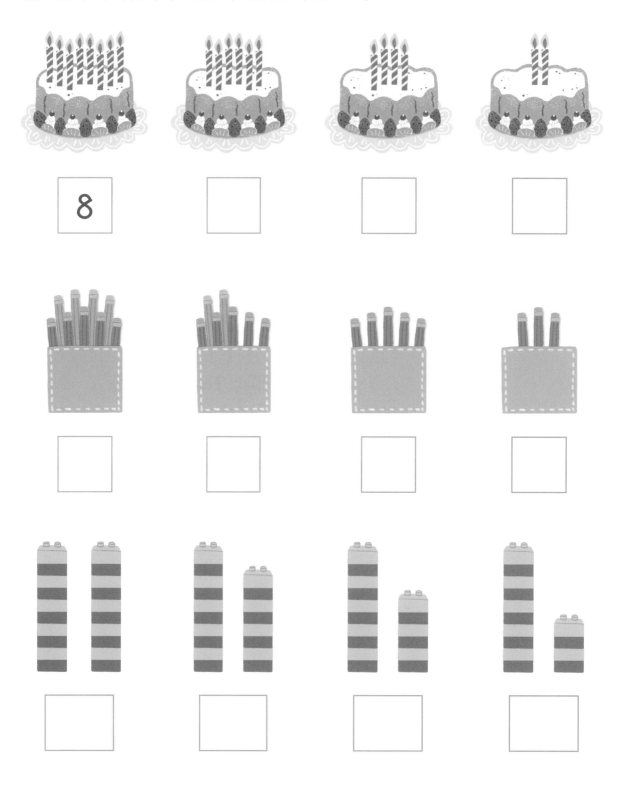

둘씩 적어집니다. 빈칸에 알맞은 수를 쓰세요.

8 □ □ □

□ □ □ □

□ □ □ □

🤖 2씩 작아지도록 빈칸에 알맞은 수를 쓰세요.

20	19	18	17	16	15	14	13	12	11
10	9	8	7	6	5	4	3	2	1

5 ··· 3 ··· [ ]

10 ··· 8 ··· [ ]

6 ··· [ ] ··· 2

20 ··· [ ] ··· 16

13 ··· 11 ··· [ ] ··· [ ] ··· 5

[ ] ··· 14 ··· [ ] ··· 10 ··· [ ] ··· 6

🤖 칸토 쌤   둘 적은 수와 2 작은 수는 빼기 2를 계산하는데 필요한 기초 개념이에요. 둘씩 적어지고 2씩 작아지는 양과 수를 살펴보며 빼기 2 계산의 기초를 다집니다.

2 작은 수
↓
빼기 2

●를 /으로 2개 지우고, 2 뺀 수를 쓰세요.

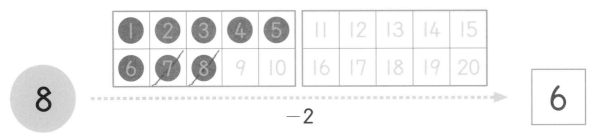

8 —2 6

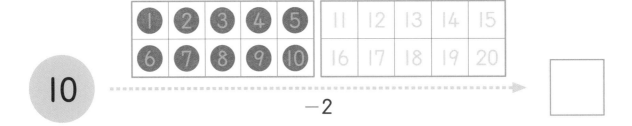

10 —2

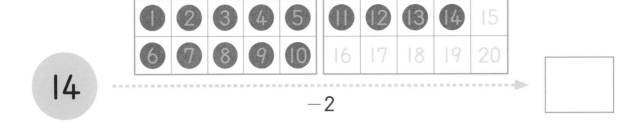

14 —2

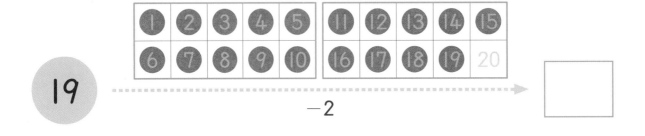

19 —2

둘 더 적게 ◯를 그리고, 2 작은 수를 쓰세요.

6

①	②	③	④	5
6	7	8	9	10

11	12	13	14	15
16	17	18	19	20

4

2 작은 수

9

1	2	3	4	5
6	7	8	9	10

11	12	13	14	15
16	17	18	19	20

2 작은 수

12

1	2	3	4	5
6	7	8	9	10

11	12	13	14	15
16	17	18	19	20

2 작은 수

15

1	2	3	4	5
6	7	8	9	10

11	12	13	14	15
16	17	18	19	20

2 작은 수

3일 빼기 2

그림을 보고 빼기 2를 계산하세요.

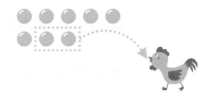

$$5 - 2 = \boxed{3}$$

5 빼기 2는
3이야.

$$8 - 2 = \boxed{}$$

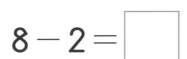

$$10 - 2 = \boxed{}$$

$$13 - 2 = \boxed{}$$

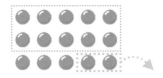

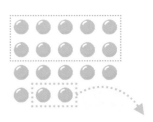

$$15 - 2 = \boxed{}$$

$$18 - 2 = \boxed{}$$

🦕 거꾸로 2번 뛰어 센 수를 쓰고, 빼기 2를 계산하세요.

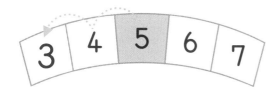

$$5 - 2 = \boxed{}$$

빼기 2는
2 작은 수야.

$$8 - 2 = \boxed{}$$

$$10 - 2 = \boxed{}$$

13 14 15 16

$$14 - 2 = \boxed{}$$

16 17 18 19

$$17 - 2 = \boxed{}$$

16 17 19 20

$$20 - 2 = \boxed{}$$

🤖 칸토 쌤 20까지의 수에서 빼기 2를 공부해요. 빼기 1과 같이 점 수판과 수의 순서 2가지 방법을 이용하여 계산합니다. 빼기 1보다 한 번 더 생각하는 과정을 거치기 때문에 시간을 두고 충분히 연습해 주세요.

빼기 1

빼기 2

1 작은 수, 2 작은 수, 10 작은 수

동전을 이용하여 1 작은 수, 2 작은 수, 10 작은 수를 구하세요.

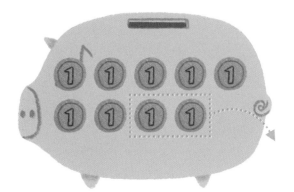

$9 \xrightarrow{\text{2 작은 수}} \boxed{}$

$9 - 2 = \boxed{}$

$13 \xrightarrow{\text{1 작은 수}} \boxed{}$

$13 - 1 = \boxed{}$

$17 \xrightarrow{\text{10 작은 수}} \boxed{}$

$17 - 10 = \boxed{}$

$16 \xrightarrow{\text{2 작은 수}} \boxed{}$

$16 - 2 = \boxed{}$

주어진 수에 ◯표 하고 Ⅰ 작은 수, 2 작은 수, 10 작은 수에 색칠하세요.

Ⅰ 작은 수: /////   2 작은 수: /////   10 작은 수: /////

14

1	2	3	4	5	6	7	8	9	10
11	12	13	(14)	15	16	17	18	19	20

12

1	2	3	4	5	6	7	8	9	10
11	12	13	14	15	16	17	18	19	20

17

1	2	3	4	5	6	7	8	9	10
11	12	13	14	15	16	17	18	19	20

5일 빼기 1, 2, 10

뺄셈을 하여 알맞은 풍선에 ✏️ 딱지를 붙이세요.

뺄셈을 하세요.

$5 - 1 = \boxed{}$　　　　　$3 - 2 = \boxed{}$

$13 - 10 = \boxed{}$　　　　$17 - 1 = \boxed{}$

$14 - 2 = \boxed{}$　　　　$19 - 10 = \boxed{}$

$$\begin{array}{r} 1\ 9 \\ -1 \\ \hline \end{array} \qquad \begin{array}{r} 1\ 2 \\ -2 \\ \hline \end{array} \qquad \begin{array}{r} 1\ 6 \\ -\ 1\ 0 \\ \hline \end{array}$$

2씩 작아지도록 빈칸에 알맞은 수를 쓰세요.

| | … | 18 | … | 16 | … | | … | 12 |

주어진 수에 ◯표 하고 I 작은 수, 2 작은 수, 10 작은 수에 색칠하세요.

I 작은 수: ⫻⫻⫻   2 작은 수: ⫻⫻⫻   10 작은 수: ⫻⫻⫻

15

| 1 | 2 | 3 | 4 | 5 | 6 | 7 | 8 | 9 | 10 |
| 11 | 12 | 13 | 14 | 15 | 16 | 17 | 18 | 19 | 20 |

뺄셈을 하세요.

$9 - 2 = \boxed{}$ $14 - 10 = \boxed{}$

$18 - 2 = \boxed{}$ $11 - 1 = \boxed{}$

→ 19쪽으로 돌아가 2주 차 학습 기준을 달성했는지 체크해 보세요.

3주 더하기·빼기 1, 2, 10

학습 기준

- 어떤 수보다 1, 2, 10 큰 수를 알고 더하기 1, 2, 10을 계산할 수 있나요? ☐

- 어떤 수보다 1, 2, 10 작은 수를 알고 빼기 1, 2, 10을 계산할 수 있나요? ☐

2 큰 수, 2 작은 수

 1원짜리 동전 딱지를 2개 더 붙이고, 2 큰 수를 쓰세요.

3  ☐

12  ☐

 1원짜리 동전을 2개 지우고, 2 작은 수를 쓰세요.

9 ☐

16  ☐

2 큰 수와 2 작은 수를 쓰세요.

| 1 | 2 | 3 | 4 | 5 | 6 | 7 | 8 | 9 | 10 |
| 11 | 12 | 13 | 14 | 15 | 16 | 17 | 18 | 19 | 20 |

왼쪽   2 작은 수   2 큰 수   오른쪽

4 .... 6 8

[ ] .... 5 .... [ ]

[ ] .... 11 .... [ ]

[ ] .... 17 .... [ ]

칸토 쌤   동전과 수 배열표를 이용하여 2 큰 수와 2 작은 수를 알아봅니다.
20까지의 수 배열표는 집에서도 아이가 자주 볼 수 있게 표를 그려 벽에
붙여 두세요. 안 보고 표를 종이에 그리고, 머릿속으로도 그릴 수 있어야 해요.

| 1 | 2 | 3 | 4 | 5 | 6 | 7 | 8 | 9 | 10 |
| 11 | 12 | 13 | 14 | 15 | 16 | 17 | 18 | 19 | 20 |

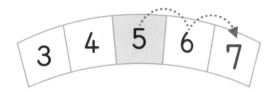

2일 더하기 2, 빼기 2

🐛 2번 뛰어 센 수를 쓰고, 더하기 2 빼기 2를 계산하세요.

| 3 | 4 | 5 | 6 | 7 |

$5 + 2 = \boxed{7}$

더하기 2는
2 큰 수야.

| | 5 | 6 | 7 | 8 |

$6 - 2 = \boxed{}$

빼기 2는
2 작은 수야.

| 7 | 8 | 9 | 10 | |

$9 + 2 = \boxed{}$

| | 12 | 13 | 14 | 15 |

$13 - 2 = \boxed{}$

| 12 | 13 | 14 | 15 | |

$14 + 2 = \boxed{}$

| | 16 | 17 | 18 | 19 |

$17 - 2 = \boxed{}$

🐡 2 큰 수와 2 작은 수를 쓰고, 더하기 2 빼기 2를 계산하세요.

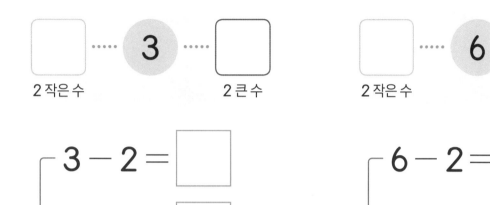

2 작은 수 ⸽⸽⸽ 3 ⸽⸽⸽ [ ] 2 큰 수

$3 - 2 = \boxed{}$

$3 + 2 = \boxed{}$

2 작은 수 ⸽⸽⸽ 6 ⸽⸽⸽ [ ] 2 큰 수

$6 - 2 = \boxed{}$

$6 + 2 = \boxed{}$

2 작은 수 ⸽⸽⸽ 12 ⸽⸽⸽ [ ] 2 큰 수

$12 - 2 = \boxed{}$

$12 + 2 = \boxed{}$

2 작은 수 ⸽⸽⸽ 17 ⸽⸽⸽ [ ] 2 큰 수

$17 - 2 = \boxed{}$

$17 + 2 = \boxed{}$

🤖 칸토 쌤 아이와 수 카드를 1장씩 뒤집어 더하기 2 말하기 게임을 해 보세요.
승패를 적절히 조절하여 게임을 하고, 아이가 어느 정도 능숙해지면 빼기 2 말하기 게임도 해 보세요.

더하기 2 말하기

3일 1, 2, 10 큰 수, 작은 수

🐛 동전을 이용하여 1, 2, 10 큰 수와 작은 수를 구하세요.

$10 \xrightarrow{\text{2 큰 수}} \boxed{}$

$10 + 2 = \boxed{}$

$13 \xrightarrow{\text{10 작은 수}} \boxed{}$

$13 - 10 = \boxed{}$

$6 \xrightarrow{\text{10 큰 수}} \boxed{}$

$6 + 10 = \boxed{}$

$17 \xrightarrow{\text{2 작은 수}} \boxed{}$

$17 - 2 = \boxed{}$

관계있는 수를 찾아 선으로 이으세요.

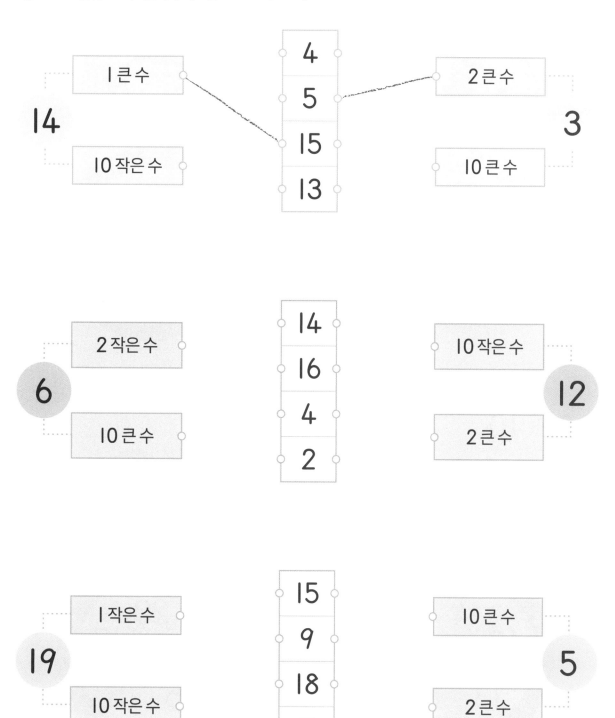

14

1 큰수

10 작은수

| 4 |
| 5 |
| 15 |
| 13 |

2 큰수

10 큰수

3

6

2 작은수

10 큰수

| 14 |
| 16 |
| 4 |
| 2 |

10 작은수

2 큰수

12

19

1 작은수

10 작은수

| 15 |
| 9 |
| 18 |
| 7 |

10 큰수

2 큰수

5

더하기와 빼기 1, 2, 10

동물들이 말하는 수를 찾아 색칠하세요.

$7 + 2$

$15 - 1$

$3 + 10$

$19 - 2$

덧셈과 뺄셈을 하세요.

$5 + 2 = \boxed{}$ $9 - 2 = \boxed{}$

$2 + 10 = \boxed{}$ $18 - 1 = \boxed{}$

$13 + 1 = \boxed{}$ $17 - 10 = \boxed{}$

$$\begin{array}{r} 7 \\ + 1\ 0 \\ \hline \boxed{} \end{array} \qquad \begin{array}{r} 1\ 4 \\ - \quad 2 \\ \hline \boxed{} \end{array} \qquad \begin{array}{r} 1\ 5 \\ - 1\ 0 \\ \hline \boxed{} \end{array}$$

칸토 쌤   더하기와 빼기 1, 2, 10이 섞여 있어 실수하기 쉬워요. 식을 소리 내어 읽으며 문제를 풀 수 있도록 유도해 주세요.

$5 + 2 = \boxed{7}$

오 더하기 이는 칠입니다.

 올바른 식을 따라 🚩 까지 가는 길을 그리고, 🐟 딱지를 붙이세요.

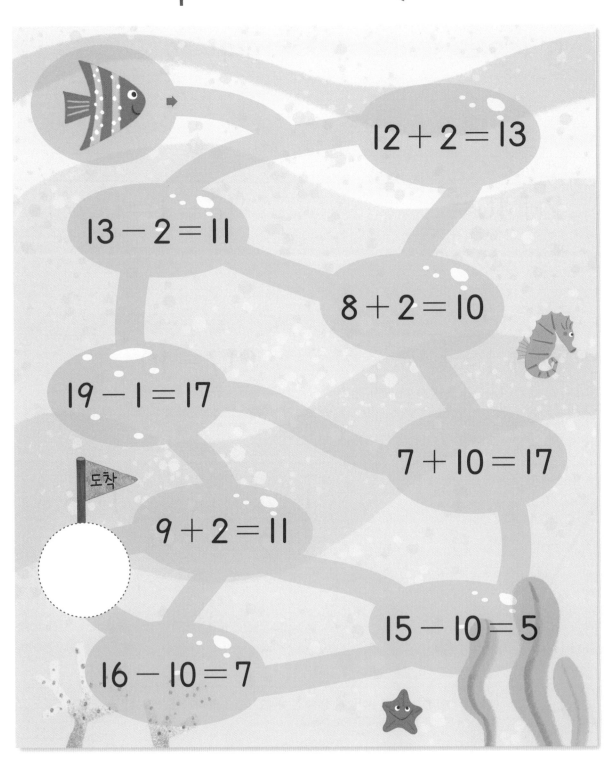

$12 + 2 = 13$

$13 - 2 = 11$

$8 + 2 = 10$

$19 - 1 = 17$

$7 + 10 = 17$

도착

$9 + 2 = 11$

$15 - 10 = 5$

$16 - 10 = 7$

연속하여 덧셈과 뺄셈을 하세요.

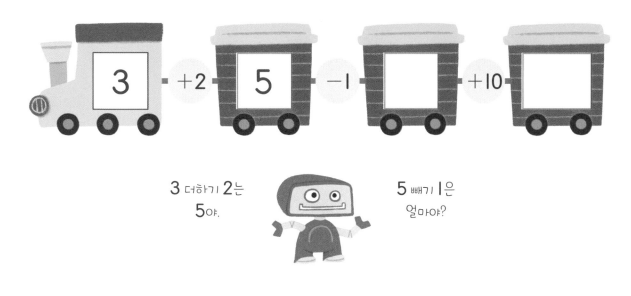

3 더하기 2는 5야.

5 빼기 1은 얼마야?

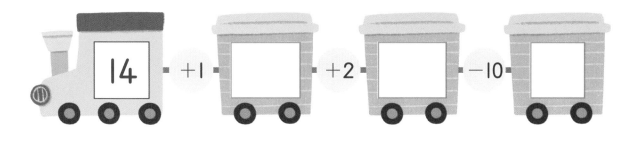

확인학습

→ 31쪽으로 돌아가 3주 차 학습 기준을 달성했는지 체크해 보세요.

▶ 2 큰 수와 2 작은 수를 쓰고, 더하기 2 빼기 2를 계산하세요.

| 2 작은수 | 5 | 2 큰수 |

$5 - 2 = \boxed{}$

$5 + 2 = \boxed{}$

| 2 작은수 | 11 | 2 큰수 |

$11 - 2 = \boxed{}$

$11 + 2 = \boxed{}$

▶ 덧셈과 뺄셈을 하세요.

$14 + 2 = \boxed{}$

$20 - 1 = \boxed{}$

$$\begin{array}{r} 9 \\ + 1\,0 \\ \hline \end{array}$$

$$\begin{array}{r} 1\,6 \\ - 1\,0 \\ \hline \end{array}$$

$$\begin{array}{r} 1\,7 \\ - \,2 \\ \hline \end{array}$$

4주 □가 있는 더하기·빼기 1, 2, 10

학습 기준

- □가 있는 더하기 1, 2, 10에서 □를 구할 수 있나요? □

- □가 있는 빼기 1, 2, 10에서 □를 구할 수 있나요? □

빈칸에 어떤 수가 들어갈까요? 빈 곳에 동전을 그려 구하세요.

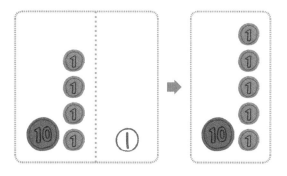

$$14 + \boxed{1} = 15$$

14원에 얼마를 더하면
15원이 돼?

$$5 + \boxed{} = 7$$

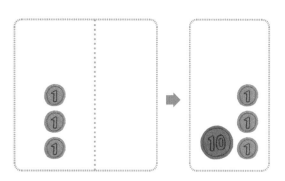

$$3 + \boxed{} = 13$$

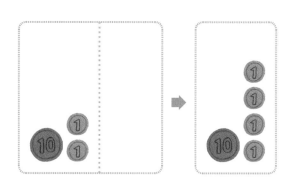

$$12 + \boxed{} = 14$$

물건을 사는 데 돈이 더 필요해요. 얼마가 더 필요할까요?

나는 **6**원이 있어.
8원짜리 지우개를 사려면
얼마가 더 필요해?

8원

$6 + \boxed{} = 8$

12원

$2 + \boxed{} = 12$

16원

$15 + \boxed{} = 16$

19원

$17 + \boxed{} = 19$

20원

$10 + \boxed{} = 20$

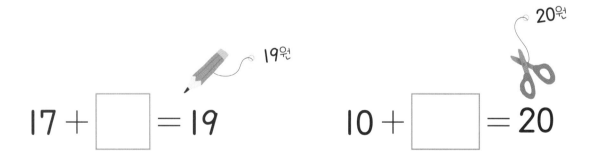

몇 개가
늘어났지?

□가 있는 더하기 1, 2, 10(2)

빈칸에 어떤 수가 들어갈까요? 수 배열표에 화살표를 그려 구하세요.

5	6	7	8	9
15	16	17	18	19

$$7 + \boxed{} = 9$$

7이 9가 되려면
오른쪽으로 몇 칸 가야 해?

3	4	5	6	7
13	14	15	16	17

$$5 + \boxed{} = 15$$

1	2	3	4	5
11	12	13	14	15

$$12 + \boxed{} = 13$$

4	5	6	7	8
14	15	16	17	18

$$16 + \boxed{} = 18$$

주사위를 던져 말 옮기기 게임을 해요. 몇 칸을 더 가야 하나요?

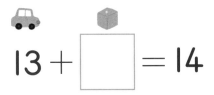

$$13 + \boxed{} = 14$$

13에서 14로 갔어.
몇 칸 간 거야?

$$6 + \boxed{} = 16$$

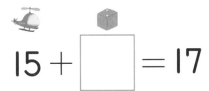

$$15 + \boxed{} = 17$$

$$8 + \boxed{} = 18$$

칸토 쌤 □가 있는 더하기 1, 2, 10의 식에서 □ 안의 수를 수 배열표를 이용하여 구합니다. 아이와 주사위 2개를 준비하여 직접 게임을 해 보면 더 잘 이해할 수 있어요.

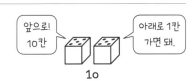

앞으로!
10칸

아래로 1칸
가면 돼.

10

47

□가 있는 빼기 1, 2, 10(1)

빈칸에 어떤 수가 들어갈까요? 동전을 /으로 지워 구하세요.

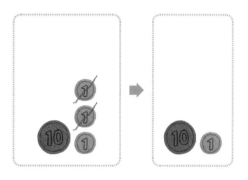

$$13 - \boxed{2} = 11$$

13원에서 얼마를 빼면
11원이 돼?

$$17 - \boxed{} = 7$$

$$9 - \boxed{} = 8$$

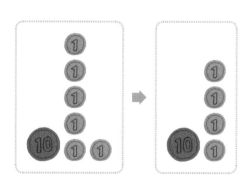

$$16 - \boxed{} = 14$$

사탕을 사고 돈이 남았어요. 사탕은 얼마일까요?

나는 **15**원이 있었어.
사탕을 사고 나니까
13원이 남았어.
사탕은 얼마지?

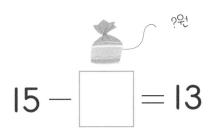

?원

$$15 - \boxed{} = 13$$

?원

$$12 - \boxed{} = 2$$

?원

$$11 - \boxed{} = 10$$

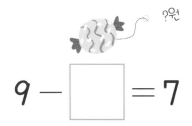

?원

$$9 - \boxed{} = 7$$

?원

$$18 - \boxed{} = 8$$

 칸토 쌤

□가 있는 빼기 1, 2, 10의 식에서 □ 안의 수를 동전을 이용하여 구하는 문제예요. □가 있는 식은 아이들이 많이 어려워하므로 구체물을 이용하거나 실제 생활 속 문제를 활용해 보세요.

몇 개가
없어졌지?

4일 □가 있는 빼기 1, 2, 10(2)

빈칸에 어떤 수가 들어갈까요? 수 배열표에 화살표를 그려 구하세요.

2	3	4	5	6
12	13	14	15	16

$$14 - \boxed{} = 12$$

14가 12가 되려면
왼쪽으로 몇 칸 가야 해?

4	5	6	7	8
14	15	16	17	18

$$6 - \boxed{} = 5$$

5	6	7	8	9
15	16	17	18	19

$$17 - \boxed{} = 7$$

6	7	8	9	10
16	17	18	19	20

$$20 - \boxed{} = 18$$

주사위를 던져 거꾸로 말 옮기기 게임을 해요. 거꾸로 몇 칸을 더 가야 하나요?

14 − ☐ = 4

7 − ☐ = 5

14에서 4로 갔어.
거꾸로 몇 칸 간 거야?

15 − ☐ = 14

19 − ☐ = 17

칸토 쌤 ☐가 있는 빼기 1, 2, 10의 식에서 ☐ 안의 수를 수 배열표를 이용하여 구합니다. 2일 차와 같이 아이와 주사위를 던져 말 옮기기 게임을 해 보세요.

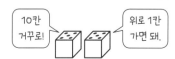

10칸 거꾸로!

위로 1칸 가면 돼.

빈칸에 알맞은 수를 쓰고, 골대에 축구공을 알맞게 붙이세요.

$$13 - \boxed{} = 11$$

$$7 + \boxed{} = 17$$

$$15 - \boxed{} = 14$$

빈칸에 알맞은 수를 쓰세요.

$4 + \boxed{} = 6$　　　　$10 - \boxed{} = 9$

$5 + \boxed{} = 15$　　　　$17 - \boxed{} = 15$

$13 - \boxed{} = 3$　　　　$11 + \boxed{} = 12$

$14 + \boxed{} = 16$　　　　$19 - \boxed{} = 9$

$$
\begin{array}{r}
2 \\
+ \boxed{} \\
\hline
1\ 2
\end{array}
\qquad
\begin{array}{r}
1\ 3 \\
+ \boxed{} \\
\hline
1\ 4
\end{array}
\qquad
\begin{array}{r}
1\ 5 \\
- \boxed{} \\
\hline
1\ 3
\end{array}
$$

→ 43쪽으로 돌아가 4주 차 학습 기준을 달성했는지 체크해 보세요.

확인학습

▶ 동전을 그리거나 /으로 지워 빈칸에 알맞은 수를 구하세요.

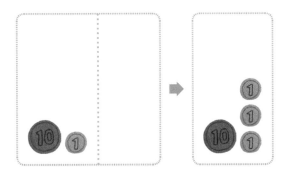

$$11 + \boxed{} = 13$$

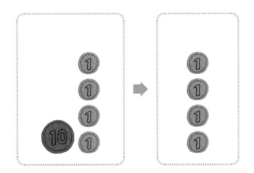

$$14 - \boxed{} = 4$$

▶ 수 배열표에 화살표를 그려 빈칸에 알맞은 수를 구하세요.

6	7	8	9	10
16	17	18	19	20

$$8 + \boxed{} = 18$$

4	5	6	7	8
14	15	16	17	18

$$16 - \boxed{} = 14$$

▶ 빈칸에 알맞은 수를 쓰세요.

$$9 + \boxed{} = 11$$

$$15 - \boxed{} = 5$$

마무리 평가

마무리 평가에서는 1, 2, 3, 4주 차의 유형이 순서대로 나옵니다.
문제가 틀리면 몇 주 차인지 확인하여 반드시 다시 한번 복습합니다.

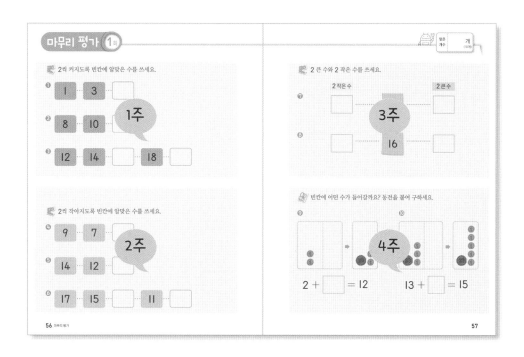

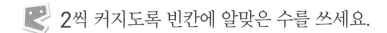 2씩 커지도록 빈칸에 알맞은 수를 쓰세요.

❶ | 1 | 3 | |

❷ | 8 | 10 | |

❸ | 12 | 14 | | 18 | |

 2씩 작아지도록 빈칸에 알맞은 수를 쓰세요.

❹ | 9 | 7 | |

❺ | 14 | 12 | |

❻ | 17 | 15 | | 11 | |

2 큰 수와 2 작은 수를 쓰세요.

2 작은 수

2 큰 수

❼

⬜ ···· **7** ···· ⬜

❽

⬜ ···· **16** ···· ⬜

빈칸에 어떤 수가 들어갈까요? 빈 곳에 동전을 그려 구하세요.

❾

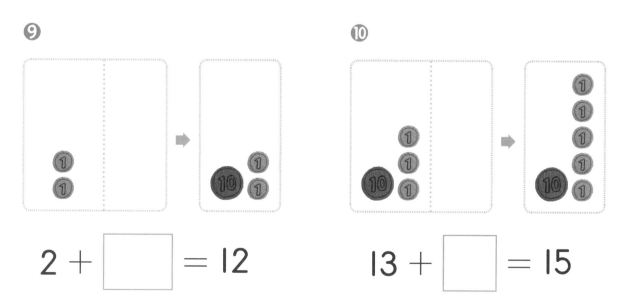

$2 + \boxed{} = 12$

❿

$13 + \boxed{} = 15$

○를 2개 더 색칠하고, 2 더한 수를 쓰세요

❶

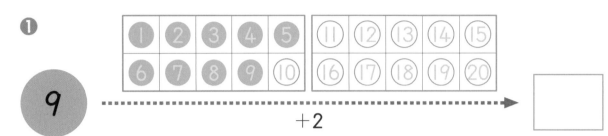

9   +2

❷

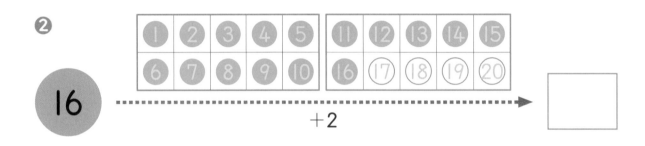

16   +2

●를 /으로 2개 지우고, 2 뺀 수를 쓰세요.

❸

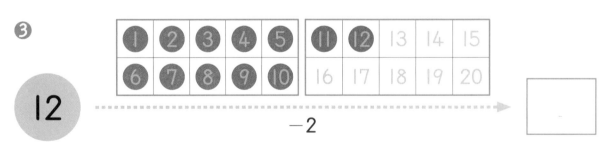

12   −2

❹

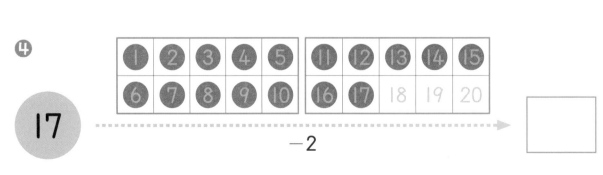

17   −2

2번 뛰어 센 수를 쓰고, 빼기 2를 계산하세요.

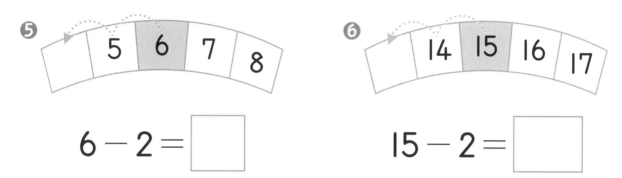

❺
| | 5 | 6 | 7 | 8 |

$$6 - 2 = \boxed{}$$

❻
| | 14 | 15 | 16 | 17 |

$$15 - 2 = \boxed{}$$

빈칸에 어떤 수가 들어갈까요? 수 배열표에 화살표를 그려 구하세요.

❼

1	2	3	4	5
11	12	13	14	15

$$13 + \boxed{} = 14$$

❽

4	5	6	7	8
14	15	16	17	18

$$6 + \boxed{} = 16$$

59

그림을 보고 더하기 **2**를 계산하세요.

❶

$$9 + 2 = \boxed{}$$

❷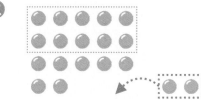

$$17 + 2 = \boxed{}$$

 그림을 보고 빼기 **2**를 계산하세요.

❸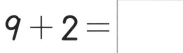

$$9 - 2 = \boxed{}$$

❹

$$14 - 2 = \boxed{}$$

동전을 이용하여 계산을 하세요.

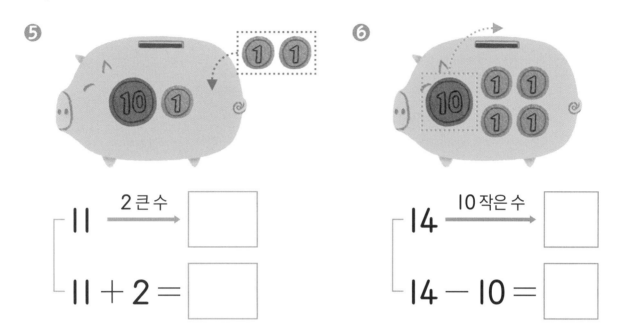

❺

11　$\xrightarrow{\text{2 큰 수}}$　☐

$11 + 2 =$ ☐

❻

14　$\xrightarrow{\text{10 작은 수}}$　☐

$14 - 10 =$ ☐

빈칸에 어떤 수가 들어갈까요? 동전을 /으로 지워 구하세요.

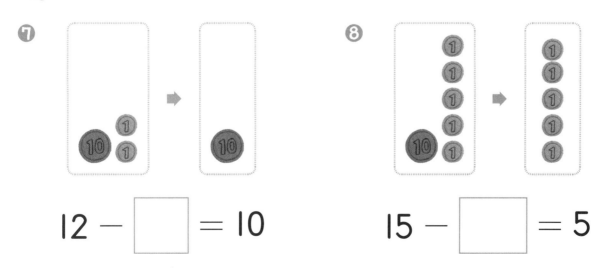

❼

$12 -$ ☐ $= 10$

❽

$15 -$ ☐ $= 5$

2번 뛰어 센 수를 쓰고, 더하기 2를 계산하세요.

❶
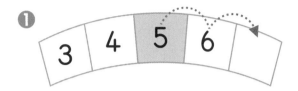

$5 + 2 = \boxed{}$

❷

$14 + 2 = \boxed{}$

거꾸로 2번 뛰어 센 수를 쓰고, 빼기 2를 계산하세요.

❸
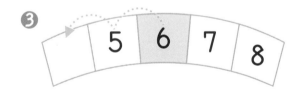

$6 - 2 = \boxed{}$

❹

$17 - 2 = \boxed{}$

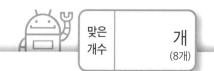

동물들이 말하는 수를 찾아 색칠하세요.

❺

$17 - 10$

16
14   18
7   5

❻

$3 + 10$

12
4   13
15   14

빈칸에 어떤 수가 들어갈까요? 수 배열표에 화살표를 그려 구하세요.

❼

3	4	5	6	7
13	14	15	16	17

$15 - \boxed{} = 13$

❽

2	3	4	5	6
12	13	14	15	16

$14 - \boxed{} = 4$

주어진 수에 ○표 하고 I 큰 수, 2 큰 수, 10 큰 수에 색칠하세요.

❶

I 큰 수: /////   2 큰 수: /////   10 큰 수: /////

4

 .....

1	2	3	4	5	6	7	8	9	10
11	12	13	14	15	16	17	18	19	20

주어진 수에 ○표 하고 I 작은 수, 2 작은 수, 10 작은 수에 색칠하세요.

❷

I 작은 수: /////   2 작은 수: /////   10 작은 수: /////

18

 .....

1	2	3	4	5	6	7	8	9	10
11	12	13	14	15	16	17	18	19	20

연속하여 덧셈과 뺄셈을 하세요.

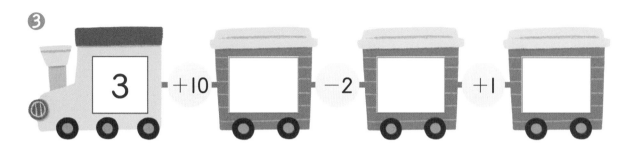

③ 3 +10 □ −2 □ +1 □

빈칸에 알맞은 수를 쓰세요.

④ 10 + □ = 12

⑤ 15 − □ = 5

⑥
```
     6
+  □
-------
  1 6
```

⑦
```
   2 0
-  □
-------
  1 0
```

MEMO

실력 평가

6세 4권

시간	3분	문제 수	20개
배점	1문제 5점 / 총 100점		

날짜: _____ 월 _____ 일

이름: _____

점수: _____ 점

❶ $11 + 1 =$

❷ $7 + 1 =$

❸ $16 + 1 =$

❹ $10 + 2 =$

❺ $17 + 2 =$

❻ $5 + 2 =$

❼ $14 + 2 =$

❽ $8 + 10 =$

❾ $5 + 10 =$

❿ $9 + 10 =$

⑪ $14 - 1 =$

⑫ $19 - 1 =$

⑬ $10 - 1 =$

⑭ $5 - 2 =$

⑮ $14 - 2 =$

⑯ $17 - 2 =$

⑰ $12 - 2 =$

⑱ $16 - 10 =$

⑲ $11 - 10 =$

⑳ $20 - 10 =$

유아 연산의 기준

정답

카토의 연산

20까지의 수에서
더하기·빼기 1, 2, 10

정답

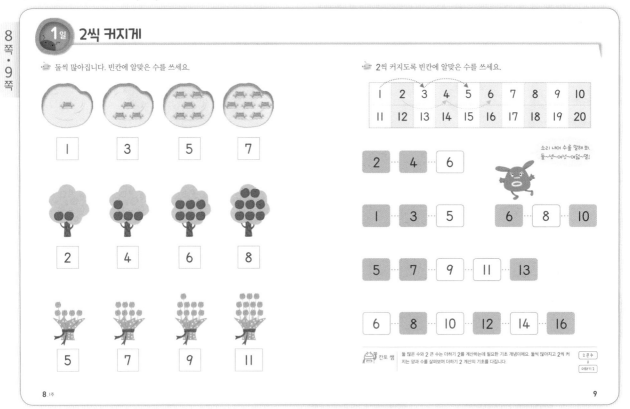

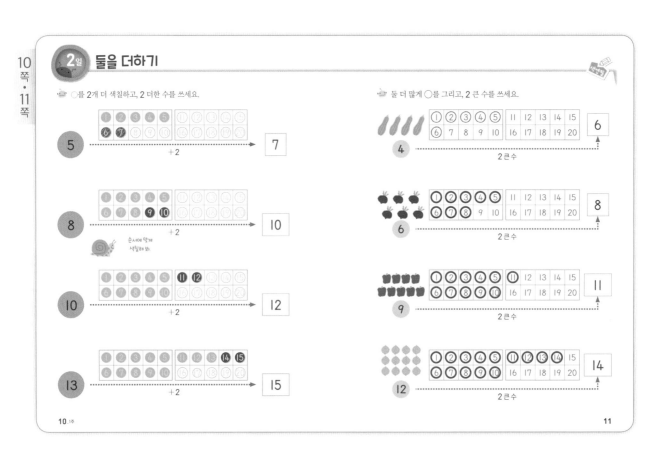

3일 더하기 2

🚚 그림을 보고 더하기 2를 계산하세요.

$3 + 2 = 5$

$7 + 2 = 9$

3 더하기 2는
5야.

$9 + 2 = 11$

$10 + 2 = 12$

$13 + 2 = 15$

$16 + 2 = 18$

🚚 2번 뛰어 센 수를 쓰고, 더하기 2를 계산하세요.

| 2 | 3 | 4 | 5 | 6 |

$4 + 2 = 6$

4 더하기 2는
6과 같아.

| 1 | 2 | 3 | 4 | 5 |

$3 + 2 = 5$

| 6 | 7 | 8 | 9 | 10 |

$8 + 2 = 10$

| 4 | 5 | 6 | 7 | 8 |

$6 + 2 = 8$

| 9 | 10 | 11 | 12 | 13 |

$11 + 2 = 13$

| 16 | 17 | 18 | 19 | 20 |

$18 + 2 = 20$

🐞 칸토 쌤 20까지의 수에서 더하기 2를 공부해요. 더하기 1과 같이 점 수판과 수의 순서 2가지 방법을 이용하여 계산해요. 더하기 1보다 한 번 더 생각하는 과정을 거치기 때문에 아이에게 충분한 연습이 필요해요.

4일 1 큰 수, 2 큰 수, 10 큰 수

🐷 그림을 보고 1 큰 수, 2 큰 수, 10 큰 수를 구하세요.

$12 \xrightarrow{1 \text{큰수}} 13$

$12 + 1 = 13$

$13 \xrightarrow{2 \text{큰수}} 15$

$13 + 2 = 15$

$5 \xrightarrow{10 \text{큰수}} 15$

$5 + 10 = 15$

$8 \xrightarrow{10 \text{큰수}} 18$

$8 + 10 = 18$

🐷 주어진 수에 ○표 하고 1 큰 수, 2 큰 수, 10 큰 수에 색칠하세요.

1 큰 수: ▨   2 큰 수: ▨   10 큰 수: ▨

3

| 1 | 2 | ③ | 4 | 5 | 6 | 7 | 8 | 9 | 10 |
| 11 | 12 | 13 | 14 | 15 | 16 | 17 | 18 | 19 | 20 |

6

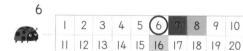

| 1 | 2 | 3 | 4 | 5 | ⑥ | 7 | 8 | 9 | 10 |
| 11 | 12 | 13 | 14 | 15 | 16 | 17 | 18 | 19 | 20 |

8

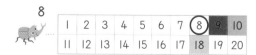

| 1 | 2 | 3 | 4 | 5 | 6 | 7 | ⑧ | 9 | 10 |
| 11 | 12 | 13 | 14 | 15 | 16 | 17 | 18 | 19 | 20 |

5일 더하기 1, 2, 10

알맞은 식을 찾아 색칠하세요.

8이 나올 수 있는
식은 7+1이야.

덧셈을 하세요.

$6+2=$ 8

$5+10=$ 15

$13+1=$ 14

$16+2=$ 18

$1+10=$ 11

$18+1=$ 19

$$
\begin{array}{r}
1\ 2 \\
+\ \ 2 \\
\hline
1\ 4
\end{array}
\qquad
\begin{array}{r}
1\ 5 \\
+\ \ 1 \\
\hline
1\ 6
\end{array}
\qquad
\begin{array}{r}
1\ 0 \\
+\ 1\ 0 \\
\hline
2\ 0
\end{array}
$$

16 1주

17

확인학습

2씩 커지도록 빈칸에 알맞은 수를 쓰세요.

| 9 | 11 | 13 | 15 | 17 |

주어진 수에 ○표 하고 1 큰 수, 2 큰 수, 10 큰 수를 찾아 색칠하세요.

1 큰수: ////   2 큰수: ////   10 큰수: ////

7

| 1 | 2 | 3 | 4 | 5 | 6 | ⑦ | 8 | 9 | 10 |
| 11 | 12 | 13 | 14 | 15 | 16 | 17 | 18 | 19 | 20 |

덧셈을 하세요.

$5+2=$ 7

$3+10=$ 13

$17+1=$ 18

$10+10=$ 20

→ 7쪽으로 돌아가 1주 차 학습 기준을 달성했는지 체크해 보세요

18 1주

1주

4

2주: 빼기 1, 2, 10

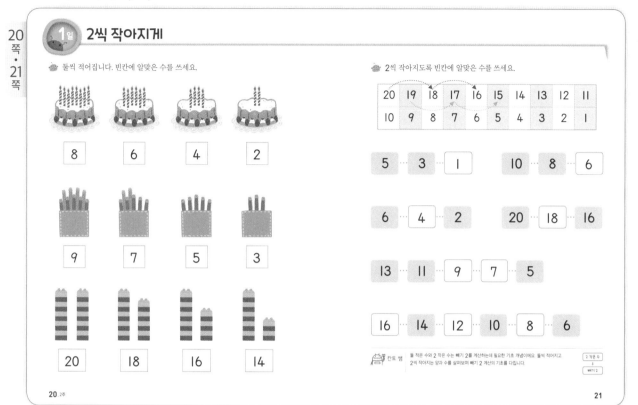

1일 2씩 작아지게

둘씩 적어집니다. 빈칸에 알맞은 수를 쓰세요.

8 6 4 2

9 7 5 3

20 18 16 14

2씩 작아지도록 빈칸에 알맞은 수를 쓰세요.

20	19	18	17	16	15	14	13	12	11
10	9	8	7	6	5	4	3	2	1

5 · 3 · 1   10 · 8 · 6

6 · 4 · 2   20 · 18 · 16

13 · 11 · 9 · 7 · 5

16 · 14 · 12 · 10 · 8 · 6

칸토 쌤 : 둘 작은 수와 2 작은 수는 빼기 2를 계산하는데 필요한 기초 개념이에요. 둘씩 적어지고 2씩 작아지는 양과 수를 살펴보며 빼기 2 계산의 기초를 다집니다.

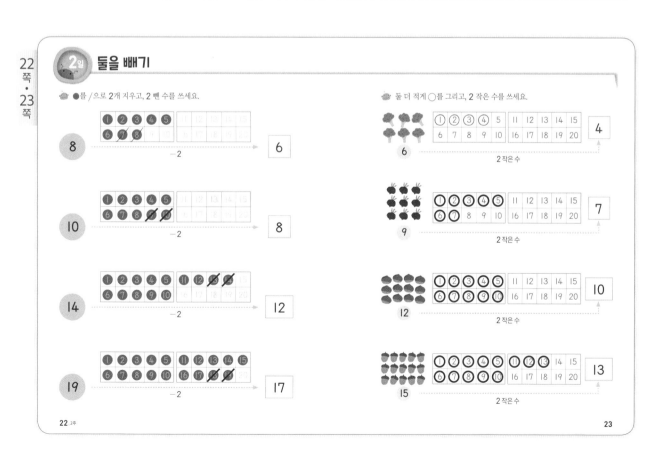

2일 둘을 빼기

●를 /으로 2개 지우고, 2 뺀 수를 쓰세요.

8 −2 6

10 −2 8

14 −2 12

19 −2 17

둘 더 적게 ○를 그리고, 2 작은 수를 쓰세요.

6   2 작은 수   4

9   2 작은 수   7

12   2 작은 수   10

15   2 작은 수   13

3일 빼기 2

그림을 보고 빼기 2를 계산하세요.

$5 - 2 = $ 3

5 빼기 2는
3이야.

$8 - 2 = $ 6

$10 - 2 = $ 8

$13 - 2 = $ 11

$15 - 2 = $ 13

$18 - 2 = $ 16

24 2주

거꾸로 2번 뛰어 센 수를 쓰고, 빼기 2를 계산하세요.

| 3 | 4 | 5 | 6 | 7 |

$5 - 2 = $ 3

빼기 2는
2 작은 수야.

| 6 | 7 | 8 | 9 | 10 |

$8 - 2 = $ 6

| 8 | 9 | 10 | 11 | 12 |

$10 - 2 = $ 8

| 12 | 13 | 14 | 15 | 16 |

$14 - 2 = $ 12

| 15 | 16 | 17 | 18 | 19 |

$17 - 2 = $ 15

| 16 | 17 | 18 | 19 | 20 |

$20 - 2 = $ 18

칸토 쌤 20까지의 수에서 빼기 2를 공부해요. 빼기 1과 같이 점 수판과 수의 순서 2가지 방법을 이용하여 계산합니다. 빼기 1보다 한 번 더 생각하는 과정을 거치기 때문에 시간을 두고 충분히 연습해 주세요.

25

4일 1 작은 수, 2 작은 수, 10 작은 수

동전을 이용하여 1 작은 수, 2 작은 수, 10 작은 수를 구하세요.

$9 \xrightarrow{\text{2 작은 수}} $ 7

$9 - 2 = $ 7

$13 \xrightarrow{\text{1 작은 수}} $ 12

$13 - 1 = $ 12

$17 \xrightarrow{\text{10 작은 수}} $ 7

$17 - 10 = $ 7

$16 \xrightarrow{\text{2 작은 수}} $ 14

$16 - 2 = $ 14

26 2주

주어진 수에 ○표 하고 1 작은 수, 2 작은 수, 10 작은 수에 색칠하세요.

1 작은 수: ▨▨   2 작은 수: ▨▨   10 작은 수: ▨▨

14

| 1 | 2 | 3 | 4 | 5 | 6 | 7 | 8 | 9 | 10 |
| 11 | 12 | 13 | (14) | 15 | 16 | 17 | 18 | 19 | 20 |

12

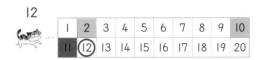

| 1 | 2 | 3 | 4 | 5 | 6 | 7 | 8 | 9 | 10 |
| 11 | (12) | 13 | 14 | 15 | 16 | 17 | 18 | 19 | 20 |

17

| 1 | 2 | 3 | 4 | 5 | 6 | 7 | 8 | 9 | 10 |
| 11 | 12 | 13 | 14 | 15 | 16 | (17) | 18 | 19 | 20 |

27

5월 빼기 1, 2, 10

빼셈을 하여 알맞은 풍선에 ✏ 딱지를 붙이세요.

10 빼기 2와
같은 수를 막혀야 해

빼셈을 하세요.

$5 - 1 = \boxed{4}$　　　　$3 - 2 = \boxed{1}$

$13 - 10 = \boxed{3}$　　　　$17 - 1 = \boxed{16}$

$14 - 2 = \boxed{12}$　　　　$19 - 10 = \boxed{9}$

$$\begin{array}{r} 1\ 9 \\ -\quad 1 \\ \hline \boxed{1\ 8} \end{array}\qquad \begin{array}{r} 1\ 2 \\ -\quad 2 \\ \hline \boxed{1\ 0} \end{array}\qquad \begin{array}{r} 1\ 6 \\ -1\ 0 \\ \hline \boxed{6} \end{array}$$

확인학습

🐍 2씩 작아지도록 빈칸에 알맞은 수를 쓰세요.

20	18	16	14	12

🦓 주어진 수에 ○표 하고 1 작은 수, 2 작은 수, 10 작은 수에 색칠하세요.

1 작은 수: ⁄⁄⁄⁄　　　2 작은 수: ⁄⁄⁄⁄　　　10 작은 수: ⁄⁄⁄⁄

15

1	2	3	4	5	6	7	8	9	10
11	12	13	14	⑮	16	17	18	19	20

🐊 빼셈을 하세요.

$9 - 2 = \boxed{7}$　　　　$14 - 10 = \boxed{4}$

$18 - 2 = \boxed{16}$　　　　$11 - 1 = \boxed{10}$

※ 19쪽으로 돌아가 2주 차 학습 기준을 달성했는지 체크해 보세요.

2주

3주: 더하기·빼기 1, 2, 10

1일 2 큰 수, 2 작은 수

🪙 1원짜리 동전 딱지를 2개 더 붙이고, 2 큰 수를 쓰세요.

3 → 5

12 → 14

🪙 1원짜리 동전을 2개 지우고, 2 작은 수를 쓰세요.

9 → 7

16 → 14

🪙 2 큰 수와 2 작은 수를 쓰세요.

1	2	3	4	5	6	7	8	9	10
11	12	13	14	15	16	17	18	19	20

왼쪽 2 작은 수   2 큰 수   오른쪽

4 ---- 6 ---- 8

3 ---- 5 ---- 7

9 ---- 11 ---- 13

15 ---- 17 ---- 19

🏠 칸토 쌤 동전과 수 배열표를 이용하여 2 큰 수와 2 작은 수를 알아봅니다.
20까지의 수 배열표는 집에서도 아이가 자주 볼 수 있게 표를 그려 벽에 붙여 두세요. 안 보고 표를 종이에 그리고, 머릿속으로도 그릴 수 있어야 해요.

2일 더하기 2, 빼기 2

🐞 2번 뛰어 센 수를 쓰고, 더하기 2 빼기 2를 계산하세요.

3 4 5 6 7
$5 + 2 = 7$

4 5 6 7 8
$6 - 2 = 4$

더하기 2는 2 큰 수야.

빼기 2는 2 작은 수야.

7 8 9 10 11
$9 + 2 = 11$

11 12 13 14 15
$13 - 2 = 11$

12 13 14 15 16
$14 + 2 = 16$

15 16 17 18 19
$17 - 2 = 15$

🐞 2 큰 수와 2 작은 수를 쓰고, 더하기 2 빼기 2를 계산하세요.

1 — 3 — 5
2 작은 수   2 큰 수
$3 - 2 = 1$
$3 + 2 = 5$

4 — 6 — 8
2 작은 수   2 큰 수
$6 - 2 = 4$
$6 + 2 = 8$

10 — 12 — 14
2 작은 수   2 큰 수
$12 - 2 = 10$
$12 + 2 = 14$

15 — 17 — 19
2 작은 수   2 큰 수
$17 - 2 = 15$
$17 + 2 = 19$

🏠 칸토 쌤 아이와 수 카드를 1장씩 뒤집어 더하기 2 말하기 게임을 해 보세요.
승패를 적절히 조절하여 게임을 하고, 아이가 어느 정도 능숙해지면 빼기 2 말하기 게임도 해 보세요.

 **3**일 1, 2, 10 큰 수, 작은 수

👆 동전을 이용하여 1, 2, 10 큰 수와 작은 수를 구하세요.

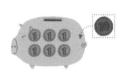

10 $\xrightarrow{\text{2 큰 수}}$ 12

10 + 2 = 12

13 $\xrightarrow{\text{10 작은 수}}$ 3

13 − 10 = 3

6 $\xrightarrow{\text{10 큰 수}}$ 16

6 + 10 = 16

17 $\xrightarrow{\text{2 작은 수}}$ 15

17 − 2 = 15

👆 관계있는 수를 찾아 선으로 이으세요.

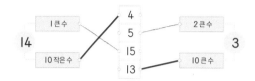

14 | 1 큰 수 | 4 | | 2 큰 수 | 3
       | 10 작은 수 | 5 / 15 | | 10 큰 수 |
       | | 13 | | |

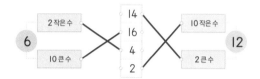

6 | 2 작은 수 | 14 / 16 / 4 / 2 | | 10 작은 수 | 12
     | 10 큰 수 | | | 2 큰 수 |

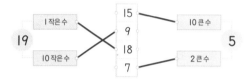

19 | 1 작은 수 | 15 / 9 / 18 / 7 | | 10 큰 수 | 5
      | 10 작은 수 | | | 2 큰 수 |

4일 더하기와 빼기 1, 2, 10

👆 동물들이 말하는 수를 찾아 색칠하세요.

7 + 2

12	9
8	
10	11

15 − 1

| 14 |
| 13 | 16 |
| 12 | 11 |

3 + 10

| 4 |
| 12 | 15 |
| 13 | 11 |

19 − 2

| 20 |
| 18 | 17 |
| 16 | 15 |

👆 덧셈과 뺄셈을 하세요.

5 + 2 = 7   9 − 2 = 7

2 + 10 = 12   18 − 1 = 17

13 + 1 = 14   17 − 10 = 7

$$
\begin{array}{r} 7 \\ +\ 10 \\ \hline 1\ 7 \end{array} \qquad
\begin{array}{r} 1\ 4 \\ -\ \ \ 2 \\ \hline 1\ 2 \end{array} \qquad
\begin{array}{r} 1\ 5 \\ -\ 1\ 0 \\ \hline \ \ 5 \end{array}
$$

🚗 칸토 쌤   더하기와 빼기 1, 2, 10이 섞여 있어 실수하기 쉬워요. 식을 소리 내어 읽으며 문제를 풀 수 있도록 유도해 주세요.   5 + 2 = ☐   오 더하기 이는 칠입니다

5일 더하기와 빼기 1, 2, 10 연습

🐟 올바른 식을 따라 🚩 까지 가는 길을 그리고, 🐟 딱지를 붙이세요.

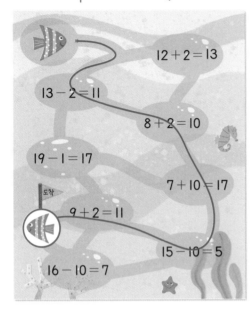

12 + 2 = 13

13 − 2 = 11

8 + 2 = 10

19 − 1 = 17

7 + 10 = 17

도착

9 + 2 = 11

15 − 10 = 5

16 − 10 = 7

🐟 연속하여 덧셈과 뺄셈을 하세요.

3 +2 5 −1 4 +10 14

3 더하기 2는 5야.

5 빼기 1은 얼마야?

14 +1 15 +2 17 −10 7

8 +10 18 −1 17 +2 19

확인학습

🤖 2 큰 수와 2 작은 수를 쓰고, 더하기 2 빼기 2를 계산하세요.

3 ···· 5 ···· 7
2 작은수   2 큰수

9 ···· 11 ···· 13
2 작은수   2 큰수

$5 - 2 = 3$
$5 + 2 = 7$

$11 - 2 = 9$
$11 + 2 = 13$

🤖 덧셈과 뺄셈을 하세요.

$14 + 2 = 16$

$20 - 1 = 19$

$$\begin{array}{r} 9 \\ + 1\ 0 \\ \hline 1\ 9 \end{array}$$

$$\begin{array}{r} 1\ 6 \\ - 1\ 0 \\ \hline 6 \end{array}$$

$$\begin{array}{r} 1\ 7 \\ - \quad 2 \\ \hline 1\ 5 \end{array}$$

※ 31쪽으로 돌아가 3주 차 학습 기준을 달성했는지 체크해 보세요.

3주

4주: □가 있는 더하기·빼기 1, 2, 10

1일 □가 있는 더하기 1, 2, 10(1)

🔹 빈칸에 어떤 수가 들어갈까요? 빈 곳에 동전을 그려 구하세요.

$$14 + \boxed{1} = 15$$

14원에 얼마를 더하면 15원이 돼?

$$5 + \boxed{2} = 7$$

$$3 + \boxed{10} = 13$$

$$12 + \boxed{2} = 14$$

🔹 물건을 사는 데 돈이 더 필요해요. 얼마가 더 필요할까요?

나는 6원이 있어. 8원짜리 지우개를 사려면 얼마가 더 필요해?

8원

$$6 + \boxed{2} = 8$$

12원

$$2 + \boxed{10} = 12$$

16원

$$15 + \boxed{1} = 16$$

19원

$$17 + \boxed{2} = 19$$

20원

$$10 + \boxed{10} = 20$$

🦕 칸토 쌤 □가 있는 더하기 1, 2, 10의 식에서 □ 안의 수를 동전을 이용하여 구하는 문제예요. 식만 보고 구하는 것은 아이들에게 매우 어려워요. 구체물을 이용하거나 실제 생활 속 문제를 이용하면 큰 도움이 돼요.

몇 개가 늘어났지?

2일 □가 있는 더하기 1, 2, 10(2)

🔹 빈칸에 어떤 수가 들어갈까요? 수 배열표에 화살표를 그려 구하세요.

5	6	7	8	9
15	16	17	18	19

$$7 + \boxed{2} = 9$$

7이 9가 되려면 오른쪽으로 몇 칸 가야 해?

3	4	5	6	7
13	14	15	16	17

$$5 + \boxed{10} = 15$$

1	2	3	4	5
11	12	13	14	15

$$12 + \boxed{1} = 13$$

4	5	6	7	8
14	15	16	17	18

$$16 + \boxed{2} = 18$$

🔹 주사위를 던져 말 옮기기 게임을 해요. 몇 칸을 더 가야 하나요?

1	2	3	4	5	6	7	8	9	10
11	12	13	14	15	16	17	18	19	20

$$13 + \boxed{1} = 14$$

13에서 14로 갔어. 몇 칸 간 거야?

$$6 + \boxed{10} = 16$$

$$15 + \boxed{2} = 17$$

$$8 + \boxed{10} = 18$$

🦕 칸토 쌤 □가 있는 더하기 1, 2, 10의 식에서 □ 안의 수를 수 배열표를 이용하여 구합니다. 아이와 주사위 2개를 준비하여 직접 게임을 해 보면 더 잘 이해할 수 있어요.

앞으로 10칸

아래로 1칸 가면 돼

3일 □가 있는 빼기 1, 2, 10(1)

🐟 빈칸에 어떤 수가 들어갈까요? 동전을 /으로 지워 구하세요.

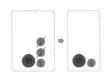

$$13 - \boxed{2} = 11$$

13원에서 얼마를 빼면 11원이 돼요?

$$17 - \boxed{10} = 7$$

$$9 - \boxed{1} = 8$$

$$16 - \boxed{2} = 14$$

🐟 사탕을 사고 돈이 남았어요. 사탕은 얼마일까요?

나는 15원이 있었어. 사탕을 사고 나니까 13원이 남았어. 사탕은 얼마지?

$$15 - \boxed{2} = 13$$

$$12 - \boxed{10} = 2$$

$$11 - \boxed{1} = 10$$

$$9 - \boxed{2} = 7$$

$$18 - \boxed{10} = 8$$

🦉 칸토 쌤 | □가 있는 빼기 1, 2, 10의 식에서 □ 안의 수를 동전을 이용하여 구하는 문제예요. □가 있는 식은 아이들이 많이 어려워하므로 구체물을 이용하거나 실제 생활 속 문제를 활용해 보세요.

48 .4주

49

4일 □가 있는 빼기 1, 2, 10(2)

🐟 빈칸에 어떤 수가 들어갈까요? 수 배열표에 화살표를 그려 구하세요.

2	3	4	5	6
12	13	14	15	16

$$14 - \boxed{2} = 12$$

14가 12가 되려면 왼쪽으로 몇 칸 가야 해요?

4	5	6	7	8
14	15	16	17	18

$$6 - \boxed{1} = 5$$

5	6	7	8	9
15	16	17	18	19

$$17 - \boxed{10} = 7$$

6	7	8	9	10
16	17	18	19	20

$$20 - \boxed{2} = 18$$

🐟 주사위를 던져 거꾸로 말 옮기기 게임을 해요. 거꾸로 몇 칸을 더 가야 하나요?

1	2	3	4	5	6	7	8	9	10
11	12	13	14	15	16	17	18	19	20

$$14 - \boxed{10} = 4$$

$$7 - \boxed{2} = 5$$

14에서 4로 갔어. 거꾸로 몇 칸 간 거야?

$$15 - \boxed{1} = 14$$

$$19 - \boxed{2} = 17$$

🦉 칸토 쌤 | □가 있는 빼기 1, 2, 10의 식에서 □ 안의 수를 배열표를 이용하여 구합니다. 2일 차와 같이 아이와 주사위를 던져 말 옮기기 게임을 해 보세요.

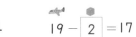

50 .4주

51

12

5일 □가 있는 더하기·빼기 1, 2, 10

🐢 빈칸에 알맞은 수를 쓰고, 골대에 축구공을 알맞게 붙이세요.

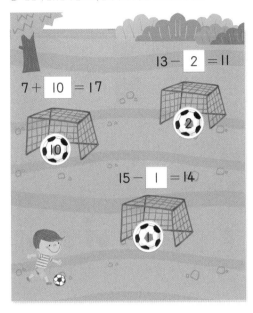

$13 - \boxed{2} = 11$

$7 + \boxed{10} = 17$

$15 - \boxed{1} = 14$

🐢 빈칸에 알맞은 수를 쓰세요.

$4 + \boxed{2} = 6$ $10 - \boxed{1} = 9$

$5 + \boxed{10} = 15$ $17 - \boxed{2} = 15$

$13 - \boxed{10} = 3$ $11 + \boxed{1} = 12$

$14 + \boxed{2} = 16$ $19 - \boxed{10} = 9$

$$\begin{array}{r} 2 \\ + \boxed{1\ 0} \\ \hline 1\ 2 \end{array} \qquad \begin{array}{r} 1\ 3 \\ + \boxed{1} \\ \hline 1\ 4 \end{array} \qquad \begin{array}{r} 1\ 5 \\ - \boxed{2} \\ \hline 1\ 3 \end{array}$$

확인학습

🏷 동전을 그리거나 /으로 지워 빈칸에 알맞은 수를 구하세요.

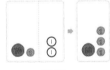

$11 + \boxed{2} = 13$ $14 - \boxed{10} = 4$

🏷 수 배열표에 화살표를 그려 빈칸에 알맞은 수를 구하세요.

6	7	8	9	10
16	17	18	19	20

4	5	6	7	8
14	15	16	17	18

$8 + \boxed{10} = 18$ $16 - \boxed{2} = 14$

🏷 빈칸에 알맞은 수를 쓰세요.

$9 + \boxed{2} = 11$ $15 - \boxed{10} = 5$

= 43쪽으로 돌아가 4주 차 학습 기준율 달성했는지 체크해 보세요

4주

마무리 평가

마무리 평가 ①회

맞은 개수 　개 (10개)

✏️ 2씩 커지도록 빈칸에 알맞은 수를 쓰세요.

❶ | 1 | 3 | 5 |

❷ | 8 | 10 | 12 |

❸ | 12 | 14 | 16 | 18 | 20 |

✏️ 2씩 작아지도록 빈칸에 알맞은 수를 쓰세요.

❹ | 9 | 7 | 5 |

❺ | 14 | 12 | 10 |

❻ | 17 | 15 | 13 | 11 | 9 |

✏️ 2 큰 수와 2 작은 수를 쓰세요.

❼　2 작은 수 　　　　　　　2 큰 수
　| 5 | 7 | 9 |

❽ | 14 | 16 | 18 |

✏️ 빈칸에 어떤 수가 들어갈까요? 빈 곳에 동전을 그려 구하세요.

❾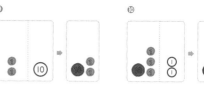

$2 + 10 = 12$

❿

$13 + 2 = 15$

마무리 평가 ②회

맞은 개수 　개 (8개)

✏️ ○를 2개 더 색칠하고, 2 더한 수를 쓰세요

❶ 9 ──→ $+2$ | 11 |

❷ 16 ──→ $+2$ | 18 |

✏️ ●를 /으로 2개 지우고, 2 뺀 수를 쓰세요.

❸ 12 ──→ -2 | 10 |

❹ 17 ──→ -2 | 15 |

✏️ 2번 뛰어 센 수를 쓰고, 빼기 2를 계산하세요.

❺ | 4 | 5 | 6 | 7 | 8 |

$6 - 2 = 4$

❻ | 13 | 14 | 15 | 16 | 17 |

$15 - 2 = 13$

✏️ 빈칸에 어떤 수가 들어갈까요? 수 배열표에 화살표를 그려 구하세요.

❼
| 1 | 2 | 3 | 4 | 5 |
| 11 | 12 | 13 | 14 | 15 |

$13 + 1 = 14$

❽
| 4 | 5 | 6 | 7 | 8 |
| 14 | 15 | 16 | 17 | 18 |

$6 + 10 = 16$

마무리 평가 3회

맞은
개수 　 개
　　 (8개)

🐾 그림을 보고 **더하기 2**를 계산하세요.

❶

$$9 + 2 = \boxed{11}$$

❷

$$17 + 2 = \boxed{19}$$

🐾 그림을 보고 **빼기 2**를 계산하세요.

❸

$$9 - 2 = \boxed{7}$$

❹

$$14 - 2 = \boxed{12}$$

🐾 동전을 이용하여 계산을 하세요.

❺

$$11 \xrightarrow{\text{2 큰 수}} \boxed{13}$$
$$11 + 2 = \boxed{13}$$

❻

$$14 \xrightarrow{\text{10 작은 수}} \boxed{4}$$
$$14 - 10 = \boxed{4}$$

🐾 빈칸에 어떤 수가 들어갈까요? 동전을 / 으로 지워 구하세요.

❼

$$12 - \boxed{2} = 10$$

❽

$$15 - \boxed{10} = 5$$

마무리 평가 4회

맞은
개수 　 개
　　 (8개)

🐾 **2번 뛰어 센 수**를 쓰고, **더하기 2**를 계산하세요.

❶ | 3 | 4 | 5 | 6 | 7 |

$$5 + 2 = \boxed{7}$$

❷ | 12 | 13 | 14 | 15 | 16 |

$$14 + 2 = \boxed{16}$$

🐾 **거꾸로 2번 뛰어 센 수**를 쓰고, **빼기 2**를 계산하세요.

❸ | 4 | 5 | 6 | 7 | 8 |

$$6 - 2 = \boxed{4}$$

❹ | 15 | 16 | 17 | 18 | 19 |

$$17 - 2 = \boxed{15}$$

🐾 동물들이 말하는 수를 찾아 색칠하세요.

❺ $17 - 10$

| 16 |
| 14 | 18 |
| 7 | 5 |

❻ $3 + 10$

| 12 |
| 4 | 13 |
| 15 | 14 |

🐾 빈칸에 어떤 수가 들어갈까요? 수 배열표에 화살표를 그려 구하세요.

❼
| 3 | 4 | 5 | 6 | 7 |
| 13 | 14 | 15 | 16 | 17 |

$$15 - \boxed{2} = 13$$

❽
| 2 | 3 | 4 | 5 | 6 |
| 12 | 13 | 14 | 15 | 16 |

$$14 - \boxed{10} = 4$$

마무리 평가 5회

맞은
개수 ㅤㅤ 개
(7개)

주어진 수에 ○표 하고 1 큰 수, 2 큰 수, 10 큰 수에 색칠하세요.

❶

1 큰 수: ▨▨▨ ㅤ 2 큰 수: ▨▨▨ ㅤ 10 큰 수: ▨▨▨

4

1	2	3	④	5	6	7	8	9	10
11	12	13	14	15	16	17	18	19	20

주어진 수에 ○표 하고 1 작은 수, 2 작은 수, 10 작은 수에 색칠하세요.

❷

1 작은 수: ▨▨▨ ㅤ 2 작은 수: ▨▨▨ ㅤ 10 작은 수: ▨▨▨

18

1	2	3	4	5	6	7	8	9	10
11	12	13	14	15	16	17	⑱	19	20

연속하여 덧셈과 뺄셈을 하세요.

❸

3 ㅤ $+10$ ㅤ 13 ㅤ -2 ㅤ 11 ㅤ $+1$ ㅤ 12

빈칸에 알맞은 수를 쓰세요.

❹ $10 + \boxed{2} = 12$

❺ $15 - \boxed{10} = 5$

❻
$$\begin{array}{r} 6 \\ + \boxed{1\ 0} \\ \hline 1\ 6 \end{array}$$

❼
$$\begin{array}{r} 2\ 0 \\ - \boxed{1\ 0} \\ \hline 1\ 0 \end{array}$$

실력 평가 → 67쪽

칸토의 연산 6세 4권 ㅤ **실력 평가**

❶ $11 + 1 = 12$ ㅤㅤ ⑪ $14 - 1 = 13$

❷ $7 + 1 = 8$ ㅤㅤ ⑫ $19 - 1 = 18$

❸ $16 + 1 = 17$ ㅤㅤ ⑬ $10 - 1 = 9$

❹ $10 + 2 = 12$ ㅤㅤ ⑭ $5 - 2 = 3$

❺ $17 + 2 = 19$ ㅤㅤ ⑮ $14 - 2 = 12$

❻ $5 + 2 = 7$ ㅤㅤ ⑯ $17 - 2 = 15$

❼ $14 + 2 = 16$ ㅤㅤ ⑰ $12 - 2 = 10$

❽ $8 + 10 = 18$ ㅤㅤ ⑱ $16 - 10 = 6$

❾ $5 + 10 = 15$ ㅤㅤ ⑲ $11 - 10 = 1$

❿ $9 + 10 = 19$ ㅤㅤ ⑳ $20 - 10 = 10$

6쪽

28쪽

40쪽

32쪽

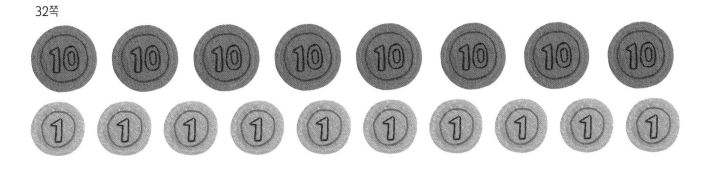

52쪽